folio benjamin

Traduction de Christine Mayer

ISBN : 2-07-054897-X
Titre original : *I Want my Dinner !*
Publié pour la première fois par Andersen Press Ltd., Londres

Numéro d'édition : 141249
Loi n° 49-956 du 16 juillet 1949
sur les publications destinées à la jeunesse
1er dépôt légal : octobre 2004
Dépôt légal : décembre 2005
Imprimé en Italie par Editoriale Lloyd
Maquette : Barbara Kekus

Tony Ross

Je veux manger !

GALLIMARD JEUNESSE

– Je veux manger !

– Il faut dire S'IL TE PLAÎT, dit la reine.

– Je veux manger… S'IL TE PLAÎT.

– Humm ! C'est délicieux.

– Je veux mon p'tipot !

– Il faut dire S'IL TE PLAÎT, dit le général.

– Je veux mon p'tipot, S'IL TE PLAÎT.

– Ah, enfin !

– Je veux mon ours !

… S'IL TE PLAÎT, dit la petite princesse.

– Hummmm, tu es mon nounours à moi.

– Nous pouvons aller nous promener...
S'IL TE PLAÎT ?

– Ploum, ploum, tra la la...

– Hummm... regarde comme cela
a l’air bon.

– Hep ! Vous, là-bas ! dit la grosse bête.

– C’est à moi.

– Je veux manger !

– Il faut dire S'IL VOUS PLAÎT,
dit la petite princesse.

– Euh... je veux manger S'IL VOUS PLAÎT.

– Humm ! Miam ! Miam !

– Attends un peu, dit la petite princesse.

– Il faut dire MERCI !

Fin

L'AUTEUR - ILLUSTRATEUR

Tony Ross est né à Londres en 1938. Après des études de dessin, il travaille dans la publicité. Devenu professeur à l'École des beaux-arts de Manchester, il révèle de nouveaux talents dont Susan Varley. En 1973, il publie ses premiers livres pour enfants.
Sous des allures de rêveur fantaisiste et volontiers farceur, cet amateur de voile est un travailleur acharné : on lui doit des centaines d'albums, couvertures et illustrations de fictions (souvenons-nous de la série des « William » de Richmal Crompton...). L'abondance de son œuvre n'a d'égale que sa variété : capable de mettre son talent au service des textes des plus grands auteurs (Roald Dahl, Oscar Wilde, Paula Danziger), il est aussi le créateur d'albums inoubliables.
Une grande exposition intitulée « Des yeux d'enfant » lui a été consacrée à Saint-Herblain au printemps 2001.

folio benjamin

Si tu as aimé cette histoire
de Tony Ross, découvre aussi :

Je veux mon p'tipot ! 31
Je veux une petite sœur ! 32
Le garçon qui criait :
« Au loup ! » 33
Attends que je t'attrape ! 83
Je veux grandir ! 84
Je ne veux pas aller à l'hôpital ! 111

Et dans la même collection :

La famille Petitplats 38
Le livre de tous les bébés 39
Le livre de tous les écoliers 40
écrits et illustrés par
Allan et Janet Ahlberg
Si la lune pouvait parler 4
Un don de la mer 5
écrits par Kate Banks
et illustrés par Georg Hallensleben
De tout mon cœur 95
écrit par Jean-Baptiste Baronian
et illustré par Noris Kern
Mimi Artichaut 102
écrit et illustré par Quentin Blake
Le Noël de Salsifi 14
Salsifi ça suffit ! 48
écrits et illustrés par Ken Brown
Une histoire sombre,
très sombre 15
Boule de Noël 96
écrits et illustrés par Ruth Brown
Je ne veux pas m'habiller 53
écrit par Heather Eyles
et illustré par Tony Ross
C'est trop injuste ! 81
écrit par Anita Harper
et illustré par Susan Hellard
Solange et l'ange 98
écrit par Thierry Magnier
et illustré par Georg Hallensleben
Il y a un cauchemar
dans mon placard 22
Il y a un alligator sous mon lit 67
écrits et illustrés par Mercer Mayer
Bernard et le monstre 69
Noirs et blancs 70
écrits et illustrés par David McKee
Moi, ma grand-mère... 79
écrit et illustré par Pef
Une toute petite petite fille 74
écrit par Raymond Rener
et illustré par Jacqueline Duhême
Je veux être une cow-girl 41
Alice sourit 91
écrits par Jeanne Willis
et illustrés par Tony Ross
Tigrou 89
écrit et illustré par Charlotte Voake
Chut, chut, Charlotte ! 1
Le sac à disparaître 35
écrits et illustrés par Rosemary Wells
Bonne nuit, petit dinosaure ! 109
écrit par Jane Yolen
et illustré par Mark Teague

Si tu lis tout seul :

Les Bizardos 2
écrit et illustré par
Allan et Janet Ahlberg
Les Bizardos rêvent
de dinosaures 37
écrit par Allan Ahlberg
et illustré par André Amstutz
Une nuit au chantier 58
écrit par Kate Banks
et illustré par Georg Hallensleben
Le sapin de monsieur Jacobi 101
écrit et illustré par Robert Barry
L'ange de Grand-Père 63
écrit et illustré par Jutta Bauer

folio benjamin